Alain Surget

ÉALÚ AS PÁRAS

LEABHAR
BREAC

Dílleachtlann an Salpêtrière, Páras,
thart ar 1660, le linn réimis Louis XIV.

Clinc! Clanc! Clonc! Bhuail Louise Bheag buille i ndiaidh buille ar an namhaid, ach sheas sé an fód. Bhuail sí ar an gcloigeann é, ar na lámha, agus ansin, le saothar anála, bhuail sí ar an gcliabhrach é. 'Bíodh agat!' a bhéic sí air.

Bhí an chuma ar an namhaid go raibh sé ag gáire taobh thiar dá chafarr — clogad a chosain an cloigeann ar fad agus a raibh dhá oscailt ann do na súile. Chuimil an cailín a baithis. Níor chreid sí go bhféadfadh sé seasamh in aghaidh a cuid ionsaithe chomh fada sin. Bhí an maide ag éirí trom ina lámha, agus bhí an neart ag imeacht as a géaga. Fan go bhfeicfidh tú, a dúirt sí léi féin. Thóg an cailín anáil mhór, d'ardaigh sí a harm gaisce go hard agus bhuail sí anuas é ar lámh an namhad. Bhain an buille an lámhainn mhiotail de. D'eitil an claíomh as a láimh, thit sé ar na leaca, agus shleamhnaigh sé síos an pasáiste.

'Ha! Ha!' a d'fhógair Louise Bheag. 'Níl tú chomh teann asat féin anois!'

Bhuail sí buille breá coise air sa lorga, agus thosaigh sé ag luascadh ó thaobh go taobh. Bhraith an cailín go raibh an lá léi. Sháigh sí é sa bholg, díreach faoin gcrios — san áit a mbíonn an lúireach ceangailte leis na píosaí eile miotail — agus bháigh sí an maide go domhain ann.

'Tá tú agam!' a d'fhógair an cailín agus na cosa ag lúbadh faoin namhaid. Thit sé le torann mór miotail.

Rinne Louise Bheag damhsa thart timpeall air, á bhualadh agus é sínte ar an talamh, ag iarraidh é a bhriseadh ina phíosaí agus an cloigeann a bhaint den cholainn.

Go tobann ligeadh béic i nglór chomh géar gur bhain sé creathadh as an gcailín. 'Dia ár réiteach! Tá tú glan as do mheabhair!'

Bhí bean rialta ag déanamh uirthi, a lámha crochta aici agus í ag cur fios ar na mná rialta eile.

Cosúil le scata fáinleog, dhoirt siad amach as gach pasáiste agus gach doras, agus thimpeallaigh siad an cailín.

'Céard a rinne an cóta armúir sin ort go mb'éigean duit an drochbhail sin a chur air?' a d'fhiafraigh an tSiúr Thérèse di.

'Louise Bheag arís!' a dúirt an tSiúr Angèle go clamhsánach. 'Is í an chulaith chatha iarainn sin inniu é, an lá cheana thug sí an oiread drochíde don taipéis a bhí crochta ar an mballa go bhfuil sí líonta le poill aici.'

Rug an tSiúr Thérèse greim láimhe ar an gcailín, á croitheadh le go scaoilfeadh sí den mhaide, ansin tharraing ina diaidh í agus í a rá arís is arís eile, 'Caol díreach go dtí an Mháthairab! Caol díreach go dtí an Mháthairab!'

Ba ghearr go raibh Louise Bheag in oifig na Máthairaba. Bhí an tSiúr Thérèse ina seasamh taobh thiar di, a lámha fillte ar a chéile aici, agus cuma fhíochmhar uirthi.

'Níl a fhios agam céard a dhéanfaidh mé leat.' Tar éis di scéal na mná rialta a chloisteáil, lig ceannasaí na dílleachtlainne osna aisti. 'Chuireamar fáilte romhaibh, tú féin agus do leathchúpla dearthár, mar go raibh sibh gan dídean. Níl ár Rí maith — moladh go deo leis — ag iarraidh go mbeadh buíonta gasúr fágtha fúthu féin ar na sráideanna, agus gan i ndán dóibh ach déirc agus gadaíocht. Anseo, foghlaimeoidh do dhearthráir umhlaíocht, láimhseáil uirlisí, agus claimhteoireacht. Agus seans go liostálfar é san arm. Maidir leatsa, gheobhaidh tú oideachas maith a dhéanfaidh, amach anseo, bean chéile chneasta dhílis díot, oilte ar chócaireacht agus ar fhuáil.'

'Peoch! Níl mise ag iarraidh a bheith ag dearnáil brístí,' a dúirt Louise Bheag go míshásta.

Bhuail an tSiúr Thérèse buille ar chúl a cinn uirthi. 'A leithéid! A mhaistín gan bhuíochas, ná tabhair aisfhreagraí ar an Máthairab!'

D'ardaigh an cailín a ceann agus bhreathnaigh sí sa tsúil ar an Máthairab.

'Is cailín thú. Ná déan dearmad air sin,' a dúirt an Mháthairab. 'An té nach mbíonn umhal seoltar go Meiriceá iad. Sa tír sin bainfear díot an t-éirí in airde,

mar ní hé amháin go mbíonn na mná ag cócair-
eacht is ag fuáil, is iad a ghearrann an t-adhmad, a
iompraíonn an t-uisce, agus a chabhraíonn leis na
fir sna páirceanna.'

Chroch Louise Bheag a guaillí. Go feargach,
dhírigh an Mháthairab a méar uirthi. Is beag nár
thacht sí í féin ag béiceadh. 'An dream is easumhaile,
tugtar do na barbaraigh iad! Pósfar le hIndiach
Dearg thú! Agus maidir le do dhearthair...!'

Ní raibh Louise Bheag ag éisteacht níos mó.
Caithfidh mé éalú, a dúirt sí léi féin. Éalú as seo le
Benjamin!

*   *   *

'Í-ááááh!' Lig na gasúir béic chomh mór astu gur
chreid Benjamin go raibh siad ar fad sna sála air. Ní
raibh sé in ann rith níos faide. Bhí a chroí ag
bualadh chomh tréan gur airigh sé go raibh sé ar tí
preabadh as a chliabhrach. Bhí a bhéal chomh
tirim nár lig a scornach isteach ach snáth tanaí aer
te. Bhí faitíos ar Bhenjamin. Bhí sé gortaithe ag na

maslaí a caitheadh leis. Ach bhí faitíos anois air go mbéarfaí air agus go mbuailfí é.

'A mheatacháin! Seas agus troid!'

'Is geall le luchóigín é!'

Rith Benjamin ó chúinne amháin go cúinne eile den chearnóg, gan a fhios aige cá ngabhfadh sé. Ní raibh de dhóchas aige ach iad a thuirsiú le súil go n-éireoidís as agus go bhfágfaidís faoi shíocháin é. Chaith sé súil siar thar a ghualainn. Bhí siad chomh gar dó anois go raibh siad in ann breith ar a scáil. Ba bhreá leis dá dtabharfadh an faitíos sciathain le héalú dó, ach ina áit sin chuir sé pian ina ghlúine

agus meáchan ina chosa. Rug lámh amháin ar a chába, ghreamaigh lámh eile dá chasóg agus tharraing ar chúl é. Phléasc cnaipí, d'oscail a chasóg. Cuireadh cor coise ann. Thit sé ar a bholg, an anáil bainte de. Tháinig meáchan trom anuas air. Bhí óganach mór scafánta dhá bhliain déag d'aois suite ar a dhroim, agus é á chorraí féin mar a bheadh sé sa diallait air.

'Hup! Hup! Hup!'

Shuigh an dara duine in airde sa 'diallait', agus é ag glaoch in ard a chinn, 'Hath amach! Hath amach!'

D'fháisc Benjamin a dhá chab chomh teann sin ar a chéile gur ghortaigh sé a chuid fiacla. Tháinig na gasúir eile timpeall orthu agus iad ag gáire faoi.

'Ith an chréafóg,' a dúirt an t-óganach mór.

'A fheithid! A mhíol chríon! A phéist!' a d'fhógair na páistí agus Benjamin ag caoineadh le fearg.

Scairt glór ceannasach go tobann as gailearaí in aice láimhe. 'Sin é bhur ndóthain. Ar ais in bhur línte!'

Le bualadh ar an druma rinne siad mar a hordaíodh dóibh. Scaip na scabhaitéirí, mar a dhéanfadh ealta éan, gur tháinig siad le chéile arís ina dhá cholún i lár an chlóis.

'Éirigh!' a dúirt an máistir airm de ghnúsacht. Seanmhuscaedóir liath a bhí ann ó aimsir chogaí Louis XIII, agus é anois i ndeireadh a shaoil ag múineadh ealaín an chogaidh do ghasúir na dílleachtlainne.

D'éirigh Benjamin agus chuimil sé an dusta dá chuid éadaigh.

'Caithfidh tú foghlaim le thú féin a chosaint, a mhic!'

'Ní maith liom troid,' a d'fhreagair Benjamin, 'agus níl aon fhonn orm dul sna saighdiúirí.'

Lig an fear osna as. 'Níl a fhios agam céard a dhéanfaidh mé leat. Ná bí ag súil go dtaispeánfaidh mise duit cén chaoi leis an snáth a chur sa tsnáthaid nó le do chuid naipcíní a fhuáil! B'fhearr duit sampla do dheirféar a leanúint. Is í siúd a bheidh ag dul le saighdiúireacht.'

Ní raibh Benjamin ag éisteacht níos mó. Caithfidh mé éalú, a dúirt sé leis féin, agus imeacht as seo le Louise Bheag.

Caibidil II

Oíche an Dóchais Mhóir

Tar éis lóin Dé Domhnaigh bhí cead ag na dílleachtaí beaga casadh lena ndeirfiúracha nó lena ndeartháireacha. Suite ar bhinse cloiche, bhreathnaigh Louise Bheag agus Benjamin ar na páistí eile a bhí ag siúl anonn is anall sa ghairdín, go mall, ina mbeirteanna agus ina dtriúir, amhail is go raibh a gcoiscéimeanna á gcomhaireamh acu.

'Níl mé sásta cur suas leis an maistíneacht seo níos mó,' a mhóidigh an gasúr. 'San oíche, samhlaím go bhfuil siad á ngreamú den bhalla agam agus go bhfuil mé á mbualadh san éadan, duine i ndiaidh a chéile, ach nuair a thagann an lá bím faoi bhois an chait acu. Ní maith leo mé mar go bhfuil mé difriúil, agus mar nach bhfuil mé sásta a gcuid cluichí a imirt.'

Chuir Louise Bheag lámh chosantach timpeall ar ghualainn a dearthár. 'Ní maith leis na cailíní mise ach an oiread. Ach is é a mhalairt de chúis atá leis i mo chás-sa. Cuireann a gcuid dánta is a gcuid damhsaí déistin orm, agus is mó fonn a bhíonn orm mo shnáthaid a shá ina dtóin ná i mo chuid bróidnéireachta.'

Lig an bheirt acu osna mór fada astu.

'Tá sé sé mhí ó cailleadh Mama ach airím uaim níos mó ná riamh í.' Chrom Benjamin chun tosaigh agus leag sé a dhá uillinn anuas ar a ghlúine.

Lig a dheirfiúr scód lena cuid smaointe agus í ag breathnú uaithi. 'Ba bhreá liom fios a bheith agam cé hé ár n-athair,' a dúirt sí faoina hanáil, ach de ghlór chomh híseal gur ar éigean a chuala Benjamin í. 'An bhfuil sé beo nó marbh?'

'Murar labhair Mama air riamh, chaithfeadh sé gur rógaire críochnaithe a bhí ann.'

'Nó saighdiúir mór a maraíodh i gcogadh glórmhar!'

'D'inseodh sí é sin dúinn.'

'Nó captaen bródúil i gcabhlach an rí a chuaigh go tóin poill lena long i lár na farraige!'

'D'inseodh Mama dúinn.'

'Nó prionsa i dtír....' Níor chríochnaigh Louise Bheag an abairt. Bhí focail uaithi a bheadh mar a bheadh bratach ann, a bhainfeadh torann as an aer os a cionn agus a líonfadh an folús ina croí, ach dá mhéid a cuid brionglóidí bheadh sé níos measa nuair a bhuailfeadh an fhírinne í.

'Tá an ceart agat, mar a bhíonn i gcónaí,' a d'admhaigh sí go héadóchasach, ar deireadh. 'Murar inis Mama tada dúinn faoinár n-athair, rinne sí é sin mar nach raibh sí ag iarraidh go mbeadh tada ar eolas againn faoi. B'fhéidir nach raibh ann ar deireadh, ach robálaí.'

'Robálaí nár fhág againn ach an píosa de thatú atá ar gach aon duine againn ar a ghualainn.'

'Ach cén mhaith dúinn é sin,' a dúirt an cailín, agus an chréafóg thirim á bailiú ina bois aici agus í á ligean trína méara, 'nuair nár inis sé do Mhama riamh cén chiall a bhí leis.'

D'fhan siad i bhfad gan focal eatarthu, sular

labhair Louise Bheag arís. 'Ní áit mhaith í seo.'

D'aontaigh Benjamin léi le croitheadh cinn. 'Tá a fhios agam.'

'Caithfimid éalú as seo. Anocht!'

Thosaigh croí an ghasúir ag bualadh go sciobtha. Theastaigh uaidh rud éigin a rá, ach d'fhan sé ina thost, mar bhí beirt bhan rialta ag teacht aníos an pasáiste ina dtreo. Stop siad agus bhuail siad a mbosa ar a chéile lena thabhairt le fios go raibh am na gcruinnithe tagtha chun deiridh, agus gur fearr do gach duine filleadh ar a fhoirgneamh féin.

'Cén chaoi?' a d'fhiafraigh Benjamin di.

'Bí anseo anocht i lár na hoíche.'

'Ach caithfidh mé an suanlios a thrasnú, éalú trí na pasáistí, na doirse a oscailt,' a dúirt an gasúr go faiteach, agus snaidhm ag teacht ina phutóga.

'Oibrigh amach duit féin é. Níl garda ar bith ann, ní príosún é seo.'

'Bhuel? An bheirt agaibhse?' a dúirt an tSiúr Thérèse, 'an gcaithfear sibh a tharraingt isteach i ngreim cluaise!'

D'éirigh Louise Bheag ina seasamh agus í ag mungailt faoina fiacla. 'Nár bhreá an boinéad sin atá uirthi a tharraingt anuas thar a smig!'

'Ná tarraing pionós ort féin,' a dúirt a deartháir os íseal. 'Níl mé ag iarraidh bheith anseo anocht liom féin.'

*   *   *

Bhí an seomra fada ag crónán le srannadh bog na ngasúr. Chodail siad ar fad ar an gcaoi chéanna, ag análú go héadrom, chomh héadrom sin go gceapfá go ndúiseodh cleitearnach sciathán iad. Ach níor chorraigh aon duine nuair a shiúil Benjamin thar na leapacha, a bhróga ina lámha aige. Níor airigh sé riamh a chroí ag bualadh chomh tréan, agus bhí iontas air nár dhúisigh na buillí — a bhí chomh hard le druma — na gasúir nó maor an tsuanleasa as a gcodladh. Níor thóg sé dhá mheandar air dul síos an staighre mór adhmaid, ansin sheas sé os comhair an dorais. Leag sé a dhá láimh ar an mbarra a dhún na comhlaí troma. Bhí crampa ag ithe na bputóg air: amach an doras sin bhí an tsaoirse, ach gan amhras freisin bheadh buairt agus saol na déirce amach roimhe. Chuimhnigh sé ar a dheirfiúr a bhí ag fanacht leis. Níor theastaigh uaidh í a ligean síos, ní raibh ann ach í a thug grá dó. Rug sé ar an mbarra, á ardú agus á shleamhnú ar an taca, ansin á leagan in aghaidh an bhalla. Rinne an doras díoscán beag agus é á oscailt, ach dhún sé arís gan torann. Sin é é! Bhí Benjamin taobh amuigh. Ní raibh le déanamh aige ach na clóis agus na gairdíní a thrasnú, ach cheana féin mhothaigh sé mar a bheadh aer nua ag líonadh a scamhóg. Aer a chuir meisce bheag air, a thug air a cheapadh go raibh gach rud indéanta agus a thug sciatháin dó chun é féin a ardú sa ghaoth. Chuir Benjamin na bróga air, ansin d'imigh sé de rith agus é ag pocléim go ríméadach. Isteach leis faoi na háirsí idir an dá chlós, ag scinneadh le balla gur bhain sé na gairdíní amach. Bhí a dheirfiúr ann roimhe, ina suí go ciúin ar an mbinse. D'éirigh sí nuair a chonaic sí é.

'Ar thug tú athrú éadaigh leat?' a d'fhiafraigh sí de.

'Ach... níl a leithéid agam,' a d'fhreagair an gasúr.

Thaispeáin Louise Bheag burla éadaigh dó. 'Thug mise liom éadaí an chailín a bhí sa leaba le m'ais,' a dúirt sí. 'Táimid thart ar an airde chéanna. Bhí agat an rud céanna a dhéanamh.'

'Chuimhnigh mé air,' a d'admhaigh sé, 'ach dúirt mé liom féin nach mbeadh sé ceart. Nuair a éireoidh an cailín...'

'Má éiríonn féin,' a dúirt Louise Bheag, 'gheobh-aidh na siúracha éadaí nua di. Imeoimid as seo anois. Caithfimid Páras a fhágáil roimh éirí na gréine.'

Níor thóg sé i bhfad ar an mbeirt balla an ghairdín a dhreapadh. Thug siad aghaidh ansin ar an tSéin, agus chonaic siad dlús dubh an dúin chosanta ag ardú rompu ar an taobh thall den abhainn, ceithre thúr ollmhóra phríosún an Bhastille ag breathnú anuas ar na díonta ina thimpeall.

'B'fhéidir go bhfuil Deaide faoi ghlas istigh ansin,' a dúirt Louise Bheag os íscal.

'Tá súil agam nach ann a bheidh an bheirt againn féin,' a dúirt Benjamin go critheaglach.

Shiúil siad síos go bruach na Séine — an Droichead Beag go hÎle de la Cité* á sheachaint acu, mar in aice leis bhí garda faire ar dualgas.

'Cá bhfuilimid ag dul?' a d'fhiafraigh Benjamin.

'Go deireadh an domhain!'

'Cá bhfuil deireadh an domhain? An bhfuil sé i bhfad as seo?'

'Fad is a bhaineann sé liomsa, is é deireadh an domhain an áit a dtéann an ghrian faoi.'

---

* Le Petit Pont, an droichead idir bruach theas abhainn na Séine agus 'Oileán na Cathrach'.

Ach fad is a bhain sé leis an mbeirt acu, i ndáiríre, ba é deireadh an domhain na ballaí a bhí thart timpeall ar Pháras. Bhí na geataí dúnta, agus lena dtaobh bhí seomraí garda neadaithe isteach sna ballaí tiubha. Chonaic Benjamin carranna i líne taobh amuigh de theach stóir.

'D'fhéadfaimis dul i bhfolach istigh i gceann acu?'

'An-smaoineamh,' a dúirt a dheirfiúr. 'Dúiseoidh gleo na maidine muid sula dtiocfaidh an tiománaí.'

Shleamhnaigh siad isteach faoin gclúdach canbháis a bhí ar cheann de na carranna, agus shín siar i measc na mbairillí folmha sular thit siad ina gcodladh go sámh.

Dúisíodh iad de léim, iad á dtuairteáil in aghaidh na mbairillí, agus an carr á croitheadh ar leaca na sráide. Ansin stop gach rud. Bhí Benjamin ar tí léim amach, ach choinnigh an cailín greim air.

'Chaithfeadh sé go bhfuilimid ag post an gharda,' a dúirt sí de chogar. 'Ná corraigh. Ná déan aon torann.'

'Scrúdóidh siad an lasta.'

'Cuimhnigh ort féin. Táimid ag fágáil an bhaile. Tá na bairillí folamh.'

'Tá an ceart agat,' a dúirt an buachaill, agus shocraigh sé é féin síos arís.

D'imigh an carr arís. D'fhan Louise Bheag scaitheamh sular thug sí súil amach trí pholl sa chanbhás. Go sásta, rinne sí amach go raibh an baile fágtha ina ndiaidh acu. Shín páirceanna uathu ar dhá thaobh an bhóthair, na curadóirí ag cur a dtóin amach ag fuirseadh an talaimh chun an scraith a bhriseadh agus an síol a mheascadh sa chré. Shuigh an cailín isteach in aice lena deartháir.

'Sin é é,' a dúirt sí. 'Táimid saor.'

Leath meangadh gáire ar bhéal Bhenjamin, agus chríochnaigh sé an abairt di: 'Agus féach anois muid ar an mbóthar go deireadh an domhain!'

Ar Bhóthar
Saint Malo

Is fada an t-achar é go deireadh an domhain! Bíonn an ghrian ag damhsa rompu i mbun na bpáirceanna, ag damhsa ag bun an chosáin, ag damhsa i ndeireadh an lae, ach ní laghdaíonn an t-achar idir í agus na gasúir in am ar bith. Ruaigthe ag an trádálaí fíona a tháinig orthu ina charr, chaith Benjamin agus Louise Bheag os cionn seachtaine ag siúl, á mbeathú féin le glasraí a sciob siad as gairdíní, agus ag codladh sna hiothlainneacha. Gach oíche, d'aimsigh siad pointe ar íor na spéire, san áit a ndeachaigh an ghrian faoi, agus, an lá arna mhárach, choinnigh siad orthu sa treo sin. Ó am go chéile, dhreap siad in airde i gcarr feirmeora a thairgfeadh dídean agus greim bia dóibh in íocaíocht ar a gcabhair — na ba a thiomáint chuige le bleán, nó beatha a thabhairt chuig na muca.

An mhaidin sin, agus ballaí Saint Malo ag glioscarnach ar íor na spéire, shocraigh Louise Bheag múineadh do Bhenjamin cén chaoi le troid. Ní ina haghaidh siúd, ach in aghaidh crainn mhóir dharaigh ar thaobh an bhóthair.

'Breathnaigh air,' a dúirt sí leis, agus maide á shacadh ina lámha aici. 'Sin é do namhaid. Tá géaga láidre air. Fútsa atá sé a chuid buillí a sheachaint agus do chuid féin a bhualadh air!'

'Ach níl sé chun mé a bhualadh lena ghéaga,' a dúirt Benjamin agus é ag gáire. 'Níl ann ach crann!'

'Úsáid do shamhlaíocht,' a dúirt sí. 'Béar atá ann, fathach, asarlaí contúirteach! Déanfaidh sé puiteach dínn mura gcosnóidh tú tú féin!'

Chuaigh an buachaill ag damhsa thart timpeall ar an gcrann, ansin bhuail sé buille air.

'Níos láidre!' a bhéic Louise Bheag. 'Tá mé ag iarraidh an choirt a fheiceáil ag eitilt den chrann.'

'Uh! Uh! Uh!' Agus an maide ina chlaíomh ina láimh, bhuail Benjamin faoi dheis agus faoi chlé, ag sá is ag gearradh. Bhí an t-allas ag rith leis, saothar anála air, agus na hionsaithe ag éirí níos faide ó chéile.

'Go dona,' a dúirt a dheirfiúr. 'Ní bhuailfeá tóin bó le sluasaid. Taispeánfaidh mise duit cén chaoi le do namhaid a chur dá chosa.'

'Ní thaispeánfaidh,' a dúirt sé. 'Déanfaidh mé féin é.'

Bhí náire an domhain air. Thug sé céim ar chúl chun a neart a chur san iarracht, tharraing anáil, agus chaith sé é féin ar an dair mhór.

Bhéic Louise Bheag, 'Ní ar an gcaoi sin!'

Bhí sí rómhall. Bhí Benjamin chomh tógtha lena dhíograis féin gur lasc sé a arm gaisce le stoc an chrainn agus gur bhuail sé féin isteach faoi. Thit sé siar i ndiaidh a chúil agus d'fhan sé luite ar an talamh. Bhí a dheirfiúr ag deifriú chuige nuair a chuala sí trup capall ar a gcúl. Tháinig cúigear marcach de Dhragúin an Rí aníos as cosán taobh thiar den fhál. Saighdiúirí iad sin in éide dhearg is ghlas, agus boinéad anuas thar a leathghualainn acu.

'An t-amadán,' a bhéic an t-oifigeach a bhí ag marcaíocht ar a gceann. 'Tá sé tar éis é féin a leagan amach in aghaidh an chrainn!'

Sheas sé an capall le taobh na beirte. 'Cé thú féin?' a d'fhiafraigh sé de Bhenjamin. Bhí Benjamin ag éagaoin agus ag cuimilt a bhaithise. 'Ar ordú an rí, tá na gealta ar fad daortha chun príosúin.'

'Ní gealta ná dílleachtaí muid,' a d'fhreagair an cailín go sciobtha. 'Tá ár muintir ag obair sna páirceanna.'

'Tuathánaigh!' a dúirt an fear go drochmheasúil.

Tháinig saighdiúir chomh fada le Benjamin, chrom sé sa diallait agus rug sé greim ar chasóg air. 'Leigheasfaidh mise an chréacht sin ort,' a dúirt sé leis.

Crochadh an gasúr den talamh. Bhain na drag-úin sodar as na capaill, ach ní dhearna Benjamin aon iarracht troid ar fhaitíos go dtitfeadh sé faoi chrúite na gcapall. Rug an marcach leis é agus é ag gáire, Louise Bheag ag rith ina ndiaidh ag béiceadh is ag crochadh na lámha in aer. Go tobann, thug an marcach a chapall ón gcosán agus chuaigh ag satailt ar pháirc nuathreafa.

'Ná déan! Ná déan!' a bhéic Benjamin, nuair a thuig sé céard a bhí ar intinn aige.

Tháinig an fear chomh fada le linn dhubh uisce agus chaith sé an gasúr ann mar a dhéanfaí le mála seanéadaigh. Ansin d'fhill sé ar a chomrádaithe a bhí ag marcaíocht leo i dtreo Saint Malo.

'A bhithiúnaigh! A scabhaitéirí!' a bhéic Louise orthu agus í ag tomhais a doirn orthu.

'Peuch!' Chaith a deartháir seile as a bhéal agus é ag éirí ina sheasamh. 'Mura bhfuil puiteach déanta anois díom!'

'Ní fada uainn an fharraige. Beidh tú in ann thú féin a ghlanadh.'

Agus na cosa ag lúbadh faoi, chuir Benjamin a mheáchan ar ghualainn a dheirféar, agus thug siad aghaidh ar an gcósta, ag siúl faoi scáth na múrtha cosanta a bhí á dtógáil thart timpeall an bhaile. Bhí longa móra tráchtála ar ancaire amach ón gcladach, timpeallaithe ag cabhlach mionbhád a bhí ag farantóireacht idir iad agus an caladh. Bhí faoileáin ag guairdeall thart ar na báid, ag líonadh an aeir lena screadach.

Ag seachaint na bpáistí a bhí ag lapadaíl ar an trá, agus na gcarraigeacha a bhí brataithe le mná ag piocadh sliogán, tháinig an bheirt ar stráice ciúin den chladach ina raibh seaniascaire, fear a raibh srón fhada ghéar air, agus é ag deisiú eangaí ar a ghlúin.

Nocht go coim, agus é go muineál sa sáile, lig Benjamin don taoide é a luascadh anonn is anall fad is a bhí a dheirfiúr ag cuimilt a chasóige is a léine. Ansin, leath sí amach ar charraig iad, faoin ngrian. 'Ná tit i do chodladh,' a dúirt sí lena deartháir tar éis scaithimh. 'Ní thriomóidh do bhríste beag sa sáile.'

'Tá sé go hálainn,' ar seisean. 'Is mór an faoiseamh é tar éis an aistir. Shílfeá go dtiocfá féin isteach.'

'Fhliuch mé mo chosa, déanfaidh sé sin mé,' a d'fhreagair Louise Bheag. 'Ní fhéadfaimid moill a dhéanamh anseo. Níor mhaith leat go dtiocfadh na saighdiúirí sin orainn arís.'

Tháinig Benjamin amach as an sáile, faoi dheireadh, agus shín sé é féin amach ar a bholg in aice lena dheirfiúr.

Labhair glór díoscánach, mar a bheadh sean-doras crochta ar insí meirgeacha. 'Is aisteach an tatú é sin ar do ghualainn.'

D'iompaigh an bheirt thart. Bhí an t-iascaire ag stánadh ar an bpictiúr gorm ar chraiceann Bhenjamin.

'Ó m'athair a fuair mé é sin,' a dúirt Benjamin.

'Tá tatú ormsa freisin,' a dúirt Louise Bheag, 'ach is ar an ngualainn eile atá sé. Is cúpla muid.'

'I ndáiríre? A dúirt an fear. 'Céard atá sa phictiúr?'

In áit freagra a thabhairt air nocht an cailín a gualainn dheas. D'iarr an t-iascaire ar Bhenjamin éirí ina sheasamh, agus chuir sé an bheirt ina seasamh le hais a chéile, gualainn ar ghualainn. Bhí a chroí ag bualadh ina sheanchliabhrach, agus a dhá shúil ar lasadh. 'Tá sé dochreidte,' ar sé leis féin. 'Tá sé fíor, mar sin, faoin mbeirt pháistí. Ní scéal a bhí ann a chum Bráithre an Chósta*. Tar éis an oiread sin blianta, tá an bheirt tar éis iad féin a chaitheamh isteach inár líonta.'

Labhair sé os ard. 'Cé hé bhur n-athair?' a d'fhiafraigh an seanfhear díobh. 'Cé as sibh?'

'As Páras. Ní raibh aithne ar bith againn ar ár n-athair, agus níor labhair Mama riamh air. Cailleadh í. Níl aon mhuintir anois againn.'

'Mar sin níl áit ar bith le dul agaibh.'

D'iompaigh Louise Bheag chuige de ghlór impíoch. 'Ní sceithfidh tú orainn! Ní déircigh ná gadaithe muid.'

'Tá na saighdiúirí gach uile áit,' a dúirt an seaniascaire faoina fhiacla. Thug sé féachaint

---

* Ainm a tugadh ar fhoghlaithe mara na hEaspáinneola i Muir Chairib.

amhrasach ina thimpeall. 'Sna bailte, ar bhóithre na tíre. Ní éalóidh sibh uathu i bhfad eile. Is fearr daoibh obair cheart a fháil, ní chuirfidh Dragúin an Rí isteach oraibh ansin.'

'Obair cheart?' a dúirt Benjamin ina dhiaidh.

'Céard é sin?' a dúirt an cailín de ghnúsacht, agus í ag cur straince uirthi féin.

'Tá aithne mhaith agam ar óstóir Shúil an Daill. Teastaíonn lámh chúnta uaidh le freastal ar chustaiméirí. Is fearr ansin sibh ná amuigh ag siúl na mbóithre. Go háirithe mura bhfuil sibh ag dul in áit ar bith.'

Bhreathnaigh na páistí thart go héiginnte. 'Céard a dhéanfaimid?' a d'fhiafraigh an gasúr i gcluais a dheirféar. 'Tá mé tuirseach den siúl agus den chodladh faoin aer.'

Rinne sí a machnamh sular labhair sí. 'Tá an ghrian ag bun na spéire. Níl ann ach í idir muid féin agus Deaide, anois. Ní fhéadfaimid dul níos faide. Táimid anseo i ndeireadh an domhain.'

'Mura dtaitníonn tábhairne Shúil an Daill libh, féadfaidh sibh imeacht as,' a dúirt an t-iascaire, agus é ag iarraidh dul i gcion orthu. 'Ní cheanglóidh an tábhairneoir de na boird sibh,' agus rinne sé gáire mar a bheadh cearc ag glagarnach.

'Ceart go leor,' a dúirt Louise Bheag, 'bainfimid triail as.'

*　　*　　*

Thit an oíche ar an mbaile beag, bhí an fharraige ina ribíní airgid. As an dorchadas, d'fhág bád beag an trá, agus le buillí móra iomartha, tháinig sí chomh fada le hIle du Grand Bé, carraig aonair ina seasamh trí chéad slat amach ón gcósta.

'Mise atá ann, a dúirt an seaniascaire nuair a nocht cruth roimhe sa dorchadas. 'Tá scéala dochreidte agam duit. Táim tar éis teacht ar an mbeirt pháistí a bhfuil gach uile fhoghlaí mara agus chreachadóir ag caint orthu le deich mbliana anuas.'

'Céard é féin? Céard atá tú ag rá?'

'Cúpla an Chaptaen Roc nó, más fearr leat, dhá phíosa de mhapa an órchiste. Caithfear scéala a chur láithreach....'

Tháinig an fear roimhe. 'Ná tabhair a ainm.'

'Níl duine ar bith in ann muid a chloisteáil,' a dúirt an t-iascaire.

'Tá an ghaoth ag faire an fhocail is lú. An bhfuil tú cinnte gurb iad atá ann?'

'Chonaic mé na tatúnna,' a dúirt an seanduine de ghlór íseal. 'Agus tá an aois cheart acu. Tá siad a deich nó a haondéag bliana d'aois. Sheol mé chuig Súil an Daill iad. Tá a fhios agam nach n-imeoidh siad as sin.'

'Ar a laghad ar bith ní imeoidh siad as a stuaim féin,' a dúirt an fear de gháire. 'Beidh áthas ar an gCaptaen an scéala a chloisteáil. Tá a bhád ar ancaire amach ó oileáin Chausey. I gceann cúpla lá, beidh sé i Saint Malo.'

'Hrhhh! Hrhhh! Hrhhhh!' a gháir an seanduine. 'Tá súil agam go dtabharfaidh sé luach saothair dom.'

'Nó piléar má tá dul amú ort, agus má thugtar anseo é gan chúis.'

Caibidil IV

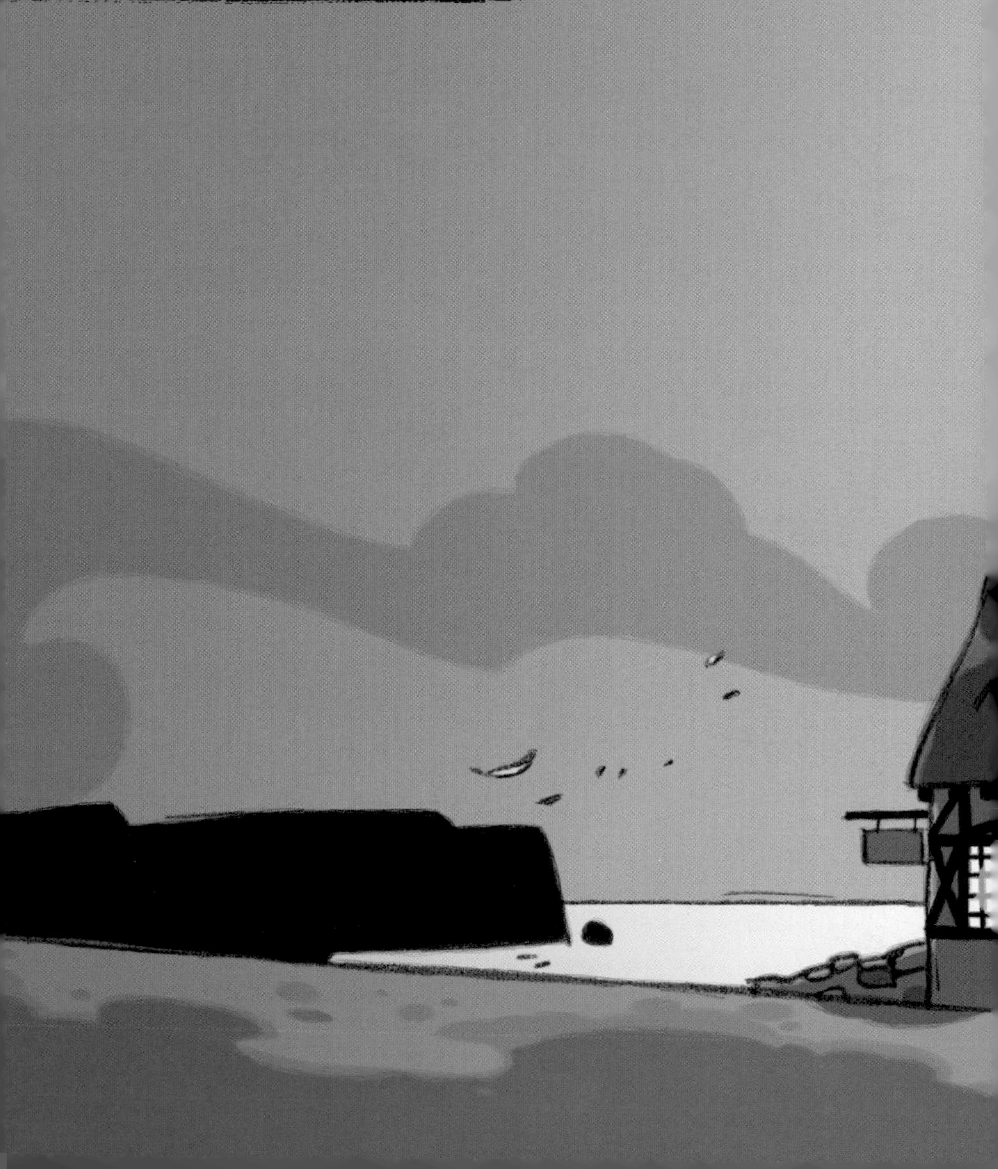

Súil an Daill

Suite ar aghaidh an chalaidh, istigh faoi scáth na mballaí, bhí cuma ghruama ar Shúil an Daill, an teach tábhairne ba shuaraí i Saint Malo. Is ann a chasfaí na scabhaitéirí is measa ar an mbaile ort: fámairí, caimiléirí, tréigtheoirí airm, gadaithe, speireadóirí, raiceadóirí. Caitheann siad ar fad píopa a tharraingíonn siad as a gcrios mar a bheadh piostal ann. Bíonn an t-aer chomh trom go ndónn sé an scornach agus go gcuireann sé tart ar dhuine.

Le trí oíche bhí Benjamin agus Louise Bheag ag obair i Súil an Daill. Bhí sé féin ag freastal ar chustaiméirí, agus í féin sa chistin le cailín eile, agus iasc, saill, agus uibheacha, á róstadh aici faoi shúil ghéar bhean an tábhairneora, bean ramhar a bhí cosúil le míol mór féasógach.

'Déanaigí deifir! Déanaigí deifir!' a deireadh sí go clamhsánach. 'Tá ocras ar na custaiméirí.'

'Déan deifir! Déan deifir!' a deireadh an tábhairneoir, agus croitheadh á bhaint aige as an ngasúr. 'Tá tart ar na custaiméirí!'

Baineadh rith as Benjamin. Cé go raibh sé tuirseach den siúl roimhe seo, ní raibh stop ar bith leis anois ach é ag rith idir na boird, agus idir na boird agus an chistin. Bhí beirt ógánach eile ag freastal in éineacht leis, iad níos sine ná é, dhá reanglamán mhóra a bhí chomh bán leis an bpáipéar. Níorbh fhéidir éalú. I rith an lae, ní bhaineadh an tábhairneoir agus a bhean a gcuid súl díobh. San oíche, chuirtí na hógánaigh faoi ghlas san áiléar, seomra beag bídeach os cionn na cistine, agus gan ach píosa canbháis crochta idir na cailíní agus na buachaillí.

An oíche sin, osclaíodh doras an tábhairne de phreab. Bhain an bháisteach torann as na leaca agus, le séideán gaoithe, sheas fear isteach thar an táirseach. Bhí cóta mór uaine air, hata mór dubh a cheil cuid dá éadan, agus dhá phiostal ag gobadh aníos as a chrios. Chiúnaigh na custaimeirí agus an fear ag imeacht ar a spreangaidí trasna an tseomra le suí i gcúinne ciúin gar d'fhuinneog a thug feiceáil dó amach ar an tsráid. Dheifrigh Benjamin chomh fada leis agus thosaigh an chaint in athuair.

'Rum, rataifia*, nó uisce beatha,' a thairg sé don strainséir.

Dhearg an fear mór a phíopa cailce agus shéid sé

* Deoch mheisciúil a déantar as torthaí agus siúcra in uisce beatha.

púir dheataigh leis an ngasúr. Labhair an guth géar arís. 'Brrraon tafia, a ghlasmhairrrnéalaigh!'

Baineadh preab as Benjamin. Arbh é an hata a labhair? B'ansin a thug sé faoi deara an phearóid suite ar a ghualainn, é leathcheilte ag an hata.

'A mhac go deo,' a dúirt sé. 'Ní fhaca mé é. Cén t-ainm atá air?'

'Dún do ghob,' a dúirt an fear go cantalach.

'Ní raibh mé ag iarraidh cur isteach ort,' a dúirt an gasúr.

'Sin é ainm an éin,' a dúirt an strainséir. 'An bhfuil tú i bhfad ag obair anseo?'

'Trí lá, ach thabharfainn an leabhar go bhfuil trí mhí caite agam ann. Buaileadh bob orainn, orm féin is mo dheirfiúr.' Go sásta, bhain an fear smeach as a theanga. Ní fhaca Benjamin a shúile, ach mhothaigh sé é ag stánadh air, amhail is go raibh sé ag iarraidh é a nochtú go croí. 'Níor inis tú dom céard a bhí uait.'

'Brrrraon tafia, in ainm Neiptiúin,' a dúirt an phearóid arís. 'Agus bí á ghearrradh nó crrrochfaidh mé ó do chosa thú ó chrrrann mórrr na loinge.'

'Tá sé cleachtaithe ar orduithe a thabhairt,' a dúirt an fear, agus shín sé a ordóg i dtreo an éin. 'Déan deifir. Ní ag magadh atá sé!'

'A leithéid de ghealt,' a dúirt Benjamin leis féin. Dá gcreidfí an phearóid chaithfeadh sé go gcaitheann sé níos mó ama ar an bhfarraige ná mar a chaitheann sé ar an talamh. Tar éis dó freastal ar an strainséir, rinne an gasúr dearmad air go dtí am dúnta, bhí an oiread orduithe ag teacht chuige ó gach taobh. Ag an nóiméad sin d'éirigh fear na pearóide amach as an bpúir dheataigh, agus bhain torann as an urlár ar a bhealach amach.

'Dar crrraiceann an diabhail!' a bhéic an t-éan. 'Aimsirrr shalach le haghaidh foghlaíocht mharrra!'

Shlog an oíche iad. Bhain coiscéimeanna an strainséara macalla as na leaca fliucha. Ar deireadh, sa tábhairne a bhí ciúnaithe, níor fhan ach monabhar na báistí ag titim ar nós gainimh ar na pánaí.

*   *   *

Cé go raibh sí traochta, ní raibh Louise Bheag in

ann codladh. Bhí sí ag casadh is ag iompú ar an tocht, ag baint osnaí as a comharsa a bhí ar an tocht céanna léi. Ar an taobh eile de chuirtín a rinneadh le píosa de sheol báid, bhí codladh míshuaimhneach ar na buachaillí. D'éist an cailín leo ag corraí; agus duine díobh ag cogarnach as a chodladh.

Go tobann, chuala sí díoscán. Clár urláir nó céim an staighre, a dúirt Louise Bheag léi féin. Ach níor chuir sé sin aon imní uirthi, bhí an teach de shíor ag díoscarnach. Chuala sí an torann arís. Trí huaire. Go rialta. Mar a bheadh duine éigin ag dreapadh an staighre. Bhioraigh Louise Bheag a cluasa. Shíl sí gur airigh sí análú taobh thiar den doras. Shuigh sí aníos ar a huillinn, agus chonaic sí solas faoi bhun an dorais. Fear an tí nó a bhean, a dúirt sí léi féin go dóchasach. Chaithfeadh sé go bhfuil rud éigin á chuardach acu i gcófra an halla. Ach, ag an am seo den oíche...?

Cliceáil. Casadh an eochair sa doras. Ach... bhí siad ag teacht isteach! Scaladh an solas isteach uirthi. Caitheadh scáileanna ar na ballaí: hataí, smigeanna féasógacha, rinn claímh.

'Cabhair!' a bhéic an cailín, agus chaith sí di an phluid ghránna.

Phreab sí ina seasamh, agus rinne ar an doras. Ar chloisteáil na béice dóibh rith na fir isteach sa seomra. Rug duine acu ar an gcailín agus bhrúigh a lámh anuas ar a béal. Tharraing na fir eile siar an canbhás agus bhagair siad ar na hógánaigh lena gcuid arm. Thug fear an tí a lampa chomh fada léi.

'Tá an ceann ceart agat. Agus sin é a deartháir ansin!' a dúirt sé agus Benjamin á thaispeáint aige dóibh.

Rug fear go garbh air, ansin rug siad ar fad an bheirt amach as an seomra leo.

'Níor tharla tada anseo,' a deir fear an tí leis an triúr a bhí cromtha isteach i gcúinne an tseomra le teann scanraidh. 'D'imigh an bheirt sin dá ndeoin féin. An dtuigeann sibh?'

Chroith an triúr a gcloigne. Bhí cuma chomh bagrach ar an bhfear go mbeidís sásta rud ar bith a rá. Dúnadh an doras arís. Thit an tost agus an dorchadas arís ar Shúil an Daill.

Stop an bháisteach. D'fhág na creachadóirí agus a bpríosúnaigh an baile beag trí gheata ceilte i mballa an bhaile, ansin thrasnaigh siad an ché agus dhreap siad isteach i mbád. Thóg fear na maidí rámha.

'Ceangail a gcuid lámh,' a d'ordaigh fear ard tanaí, 'ar fhaitíos go gcaithfidís iad féin i bhfarraige ag iarraidh éalú.'

D'fhág an bád an caladh ina diaidh. Beagán níos deireanaí, rinne an bheirt amach cruth mór dorcha suite ar an bhfarraige.

'Fáilte romhaibh go h*Ordóg na Feirge*,' a gháir an fear tanaí. 'Tá an Fhéasóg Dhubh ag fanacht libh!'

An Fhéasóg Dhubh

Ina sheasamh ar dhroichead na loinge, hata tricorn ar a cheann, agus é lasta ag laindéar mór a bhí crochta i ngreim láimhe ag mairnéalach, scrúdaigh an captaen na páistí a bhí ina seasamh os a chomhair. Bhí a fhéasóg dhubh chomh fada go raibh sí casta ina thrilseáin aige agus ceangailte le ribíní, agus bhí dhá fháinne chré-umha crochta as a chluasa aige. Le comhartha, d'ordaigh sé don fhear ard tanaí an gobán agus na ceangail a bhaint den bheirt.

'Ná habair liom gur sibhse ál an Chaptaein Roc!'

'Ó, ní muid,' a dúirt Louise Bheag go sciobtha. 'Marie a thugtar orainne, Benjamin agus Louise Bheag Mharie. Cén fáth ar fhuadaigh sibh muid?'

'Sin ainm bhur máthar, is dóigh. Tá sé ar nós

mar a d'inseodh sibh dom gur sibh páistí Anna, Mhairéad, nó páistí an chailín bhéal dorais.'

Scairt an criú amach ag gáire.

Cheartaigh an Fhéasóg Dhubh í. 'Ní sloinne é sin. Níl ann ach bealach le sloinne bhur n-athar a cheilt.'

'Níl aon aithne againn ar ár n-athair,' a dúirt Benjamin, agus a chosa ag lúbadh faoi. 'Céard atá sibh ag iarraidh orainn?'

Rinne an foghlaí mara neamhaird dá cheist. 'Ní raibh bhur máthair ag iarraidh bhur sloinne a thabhairt oraibh mar thuig sí gur ualach oraibh a bheadh sa sloinne sin. An Captaen Roc! Ancaire crochta de do mhuineál atá sa sloinne sin,' a dúirt sé de gháir, agus a dhá dhorn ar a chorróga aige.

'Cán fáth a mbeadh faitíos uirthi Roc a thabhairt orainn? An é sin i ndáiríre ár n'athair?' a d'fhiafraigh Louise Bheag de.

'Cén fáth, a ghearrchaile? Mar is foghlaí mara é. An bucainéir is mó — i mo dhiaidh féin, dár ndóigh — a sheol long riamh ar Mhuir Chairib.

Cuireann a ainm féin na putóga ag creathadh sna Francaigh, sna hOllannaigh, sna Spáinnigh, agus sna Sasanaigh. Ní thagann long roimhe nach gcuireann an Captaen Roc go tóin poill. Agus tá bailte Iamáice fós trí lasadh aige.'

'Foghlaí mara…' a dúirt an bheirt, agus an chaint bainte díobh.

'Níl a fhios ag aon duine beo cá bhfuil a nead folaigh,' a dúirt an Fhéasóg Dhubh. 'Ach is gearr go dtaispeánfaidh sé é féin anois.'

'Ní chreidim thú,' a dúirt Louise Bheag go dána. 'An bhfuil cruthú ar bith agat? Agus an bhfuil sé i gceist agat insint dúinn céard atáimid ag déanamh anseo?'

Rug an Fhéasóg Dhubh ar ghuaillí orthu, á gcasadh thart nó go raibh a ndroim leis, agus tharraing anuas an léine dá slinneáin gur nocht an dá thatú. 'Sin é mo fhreagra ar do dhá cheist. Tá píosa de léarscáil ag gach aon duine agaibh ar bhur gcraiceann. An ceathrú cuid ortsa,' a dúirt sé, agus croitheadh á bhaint aige as an mbuachaill, 'ceathrú cuid eile ort féin,' agus thug sé croitheadh don

chailín, 'agus an leath eile ar dhroim bhur n-athar.
Mura bhfuil cruthú ansin!'

'Léarscáil órchiste atá ann?'

'Go díreach é, a stócaigh!'

D'iompaigh Louise Bheag thart agus meabhair á
baint aici as an scéal, 'Mar sin tá an léarscáil ar fad
uaibh le m'athair a robáil!' D'fhill sí a dhá láimh ar
a chéile agus thug féachaint dhána ar an bhfoghlaí
mara.

'Tá saibhreas mór millteach cruinnithe ag an gCaptaen Roc. Tá dóthain ann do gach uile dhuine,' a dúirt an Fhéasóg Dhubh agus a dhá láimh á leathadh amach aige thar an gcomhluadar uilig.

D'aontaigh a chuid fear leis go glórach.

'Ní libhse an saibhreas sin,' a dúirt Louise Bheag.

'Dhá nóiméad ó shin, a ghearrchaile,' a dúirt an captaen, agus cuma bhagrach air, 'ní raibh a fhios agatsa ná ag do dheartháir cérbh é bhur n-athair, agus ní raibh a fhios agaibh go raibh sibh saibhir. Anois, agus tú ag iarraidh do chuid óir a chosaint, tá tú ag taispeáint do chuid crúcaí. D'fhéadfainnse an craiceann a fheannadh díbh agus é a theannadh ar fhráma. Má fhágaim in bhur mbeatha sibh, táim ag brath oraibh chun an Captaen Roc a mhealladh as a nead. Nuair a bheidh a fhios aige go bhfuil sibh i ngreim agam, déanfaidh sé gach iarracht teacht i gcabhair oraibh. Tá spiairí agam sna calafoirt mhóra. Treoróidh mé chugam féin é… agus titfidh sé sa ghaiste a bheidh réitithe againn dó.'

'Cén fáth a dtiocfadh sé i gcabhair orainn? Ní dhearnamar aon imní dó go dtí seo.'

'Ná bí ag cur dallamullóg ort féin, a mhic ó. De réir mar a chloistear domsa é, deir sé gur mó ceana atá aige ar a bheirt pháistí ná an dá shúil ina cheann. Má d'fhág sé tatú oraibh agus sibh in bhur leanaí, rinne sé é sin chun sibh a threorú go dtí an t-órchiste. In áit a bheith ag iarraidh meabhair a bhaint as píosaí de léarscáil, béarfaidh mé ar an gCaptaen Roc féin. Ansin beidh greim agam ar an léarscáil ar fad, agus ar mo namhaid.'

'Cén fáth ar thréig sé muid má bhí sé chomh mór sin linn? Cén fáth nár tháinig sé le muid a fheiceáil i gcaitheamh an ama sin go léir?'

'Bíonn luach curtha ar chloigeann fhoghlaí mara. Chomh luath is a leagfadh an Captaen Roc cos ar thalamh na Fraince, thógfaí é. Is mó tóir atá ag an mbucainéir ar an bhfarraige ná ar chillín príosúin.'

Tháinig boige in éadan Louise Bhig. 'Mar sin… tá cion ag Deaide orainn?'

'D'fhéadfá é a chur ar an gcaoi sin,' arsa an Fhéasóg Dhubh. 'Sin do dhóthain cainte anois. Ar na rópaí! Bígí faoi réir leis an ancaire a chrochadh agus na seolta a ardú! Agus dúnaigí an bheirt sin sa pholl.'

Tháinig a chuid fear de rith ar an droichead. Rug cuid díobh ar bharraí na castainne agus thosaigh á casadh, agus cuid eile díobh ag dreapadh in airde ar nós moncaithe i rigín na seolta.

'Hó! Tarraing agus hó!' a chan na foghlaithe mara agus iad ag casadh an roithleáin in éineacht, agus slabhra an ancaire ag cleatráil aníos tríd an hásphíopa*.

Sheachain siad na carraigeacha, agus tugadh

* Oscailt i dtosach na loinge do shlabhra nó rópa.

thart *Ordóg na Feirge* le breith ar an ngaoth, agus ansin líon na seolta de phléasc.

Dúnadh na haistí ar na hógánaigh de phlab, agus múchadh an chearnóg réaltógach a bhí os a gcionn. Sa pholl, in íochtar na loinge, bhí sé dubh dorcha. Gan oiread is puth gaoithe ann, bhí an t-aer trom le boladh an adhmaid. D'fháisc Benjamin lámh a dheirféar sa dorchadas.

'Tá faitíos orm,' a dúirt sé.

'Tá, agus orm féin,' a dúirt Louise Bheag. 'Ach ar chraiceann do chluaise ná lig ort féin é. Is de shíol foghlaí mara muidne, agus bíodh an diabhal ag an gcuid eile!'

'Foghlaí mara. Ní maith go gcreidim é.'

Bhí siad ina suí, brúite in aghaidh a chéile. Bhí tart ar Bhenjamin, ach shocraigh sé gan a bheith clamhsánach.

Ghearr *Ordóg na Feirge* bealach amach ar an bhfarraige mhór agus iomaire airgid ina diaidh aniar.

Caibidil VI

An Marquis Mara

Mhothaigh Louise Bheag lámh Bhenjamin ag creathadh. Bhí sí le fiafraí de an raibh sé fuar, ach bhí an t-aer sa pholl trom le boladh an adhmaid, na málaí plúir, na bpiseánach agus na feola deataithe. Theastaigh uaithi labhairt leis lena chur ar a shuaimhneas ach bhí a scornach chomh tirim nár éirigh léi focal a rá.

'Rrrr! Rrrr!'

Chuir Louise Bheag cluas uirthi féin. An torann báid a bhí ann? Rud éigin á chroitheadh nó á chorraí thart sa pholl? Bhí sé cloiste freisin ag Benjamin, mar bhí a chluas iompaithe i dtreo an torainn aige.

'Céard é féin?' a d'fhiafraigh sé, de chogar.

'Níl a fhios agam....'

Labhair glór sa dorchadas. 'Dar crrraiceann an diabhail! Tá sé chomh dorrrcha le tóin na farrraige!'

Phreab an bheirt. Chuir an buachaill strainc air féin. D'aithin sé an glór slóchtach sin.

'Cé atá ansin?' a d'fhiafraigh an cailín.

Lasadh coinneal. Nochtadh lámh agus pearóid liath faoi sholas bándearg.

'Dún-do-ghob!' arsa Benjamin.

'Gabh mo leithscéal?'

'Sin é pearóid na hoíche aréir. I Súil an Daill.'

Bogadh an choinneal agus soilsíodh aghaidh an strainséara ón tábhairne, aghaidh thanaí ghobach gharbh fhear an hata mhóir agus an chóta uaine.

'Ná bíodh faitíos oraibh. Tháinig mé chun sibh a thabhairt slán ón bhFéasóg Dhubh.'

'Ach, cé... cé thú féin?' a d'fhiafraigh Louise Bheag go stadach de. 'Cén chaoi ar tháinig tú isteach anseo?'

'Is mé an Marquis Roger de Parabas, ridire in Ord San Louis agus, ó am go chéile, ridire de chuid Tan Noz*.'

'Marquis muis! Is foghlaí mara é,' a dúirt an cailín de chogar lena deartháir. 'An bhfaca tú a chlaíomh agus a chuid piostal?'

'Marquis ar bhain an rí a chuid tailte de agus atá anois i muinín na farraige. Bhí fad ar a theanga ag an iascaire a thug bhur dtuairisc chuig an bhFéasóg Dhubh. Chuala duine de mo chuid mairnéalach an scéala aréir.'

'Chaithfeadh sé go raibh tú tagtha i dtír má bhí tú i Súil an Daill chomh luath sin aréir.'

'Bhordáil na Mairnéalaigh Ríoga mo long ... agus thóg an tAimiréal seilbh uirthi lena chabhlach cogaidh a mhéadú. Ba bhreá an bhruigintín a bhí inti, cosúil leis an gceann seo.'

---

* Méirligh a mheallann longa ar na carraigeacha chun iad a chreachadh.

Thuig Louise Bheag a chuid cainte. 'Cuireadh go tóin poill í, agus d'éalaigh tusa!'

'Chuaigh mé isteach i Súil an Daill go bhfeicfinn an raibh fírinne ar bith sa scéala.'

'Cén chaoi?' a d'fhiafraigh an cailín go dána de. 'Ní fhaca tú muidne riamh roimhe sin.'

'Ní raibh le déanamh agam ach cúpla focal a bheith agam le do dheartháir leis an scéala a chinntiú: a aois, gur dhá leathchúpla sibh, agus nach raibh sibh ach trí lá sa teach tábhairne. Réitigh sé sin lena ndúirt an t-iascaire. Bhí aithne agam ar bhur n-athair. Sheolamar in éineacht sular shocraíomar slán a fhágáil ag a chéile agus d'imigh gach aon duine dínn a bhealach féin. Is fíor a deir tú gur foghlaí mara mé, díreach cosúil leis an gCaptaen Roc. D'fhanamar inár ndeartháireacha ag a chéile, de réir nós na mbucainéirí. Tabharfaidh mé chuige sibh.'

'Tá a fhios agat cá bhfuil sé?'

'Is dóigh go bhfuil sé ina chró folaigh ar Oileán na Bó taobh ó dheas den Easpáinneoil. Nuair a bhí mise i mo mhaor loinge aige sheasadh muid sna

Cayes, ar an mbealach ar ais ónár dturais farraige. Tá baile Cayes ar chósta na hEaspáinneola, caoga léig* amach ó Oileán na Bó. Ó am go chéile, d'imíodh

an Captaen Roc ar feadh laethanta fada agus gan a fhios ag duine ar bith cá raibh sé imithe.'

'Théadh sé ar an oileán lena chuid óir a chur i bhfolach,' a dúirt Benjamin.

'Bhí d'athair sách glic chun é sin a thabhairt le fios. Ar gach taobh den oileán tá sceirdí contúirteacha,

* Deich gciliméadar

agus tá Cuan Cayes ag cur thar maoil le siorcanna — tá an áit cosanta go maith. Ach, ina dhiaidh sin féin, má chuaigh an Captaen Roc i bhfolach ann ó

am go chéile le héalú ó na cabhlaigh a bhí sa tóir air, níl mé cinnte gur ann a chuirfeadh sé a chuid saibhris i bhfolach.'

Tháinig tochas ar ghualainn Louise Bheag. Bhí sé mar a bheadh an tatú ag dó a craicinn. An raibh Parabas ag iarraidh orthu a gcuid tatúnna a thaispeáint dó? Rith an smaoineamh céanna le Benjamin. Stop sé ag análú, agus faitíos air go raibh an foghlaí mara ar tí breith orthu chun a dtatúnna a nochtadh. Thit tost trom ar an triúr acu. Rith sé le Louise Bheag go bhféadfaidís Parabas a thabhairt ar láimh don Fhéasóg Dhubh. Ach chuimhnigh sí uirthi féin: bhraith sí go raibh an Fhéasóg Dhubh níos contúirtí ná Parabas, agus ba mhó seans go dtabharfadh sé siúd go dtí a n-athair iad. D'ísligh Parabas a cheann. Lig sé air féin gur ag tabhairt íde béil don phearóid a bhí sé, ach choinnigh sé súil ghéar ar an mbeirt faoina hata mór dubh. Ní raibh le feiceáil faoi sholas na coinnle ach íochtar a éadain.

Chonaic mé sibh á dtabhairt as Súil an Daill,' a dúirt sé. 'Bhí a fhios agam go raibh an Fhéasóg Dhubh sna bólaí seo. Bhí mé cinnte go ndéanfadh sé beart sciobtha, mar níl cósta na Fraince sábháilte dó. Ní bheidh sé slán go mbeidh sé i lár an aigéin. Lean mé sibh i mbáidín beag iascaigh chomh fada le h*Ordóg na Feirge*, dhreap mé slabhra an ancaire agus, nuair a bhí sibh timpeallaithe ag an gcriú, chuaigh mé i bhfolach in íochtar na loinge.'

'Agus anois tá tú i do phríosúnach cosúil linn féin,' a dúirt Louise Bheag. 'Más marquis féin thú, níl tú chomh glic sin. Ní fheicim cén chaoi a mbeidh tú in ann muid a thabhairt as an long seo.'

Nocht meangadh tanaí ar bhéal Roger de Parabas. Sin a bhfaca an bheirt dá aoibh gháire, líne a d'éirigh go mailíseach ón mbéal go dtí na cluasa. 'Ní fhágfaimid an long,' a dúirt sé. 'Tógfaimid seilbh uirthi.'

'Heh? Céard...?' Chaith Benjamin a shúile in airde.

Ní raibh Louise Bheag in ann srian a choinneáil ar a teanga. 'Tá tú as do mheabhair,' a rad sí leis an Marquis.

'Tá Parrrabas glan as a mheabhairrr!' a scairt an phearóid. 'Crrrochfaimid ó na horrrdóga é ó chrrrann mór na loinge.'

'Maidir leatsa, a mhála míol, dún do ghob!'

Ina Réabadh
san Oíche

'Tógfaimid an long? An triúr againn?' a dúirt Benjamin ina dhiaidh.

Nuair a chonaic sé go raibh iontas ar an mbeirt, mhínigh Parabas a phlean: 'Cheangail mé laindéar de chúl na loinge chun mo chuid fear a threorú i dtreo *Ordóg na Feirge*. Tá siad ag teacht inár ndiaidh in dhá phionais sciobtha.'

'Pionais?'

'Bád beag fada. Seol amháin triantánach atá uirthi. Bainimid úsáid astu le seoladh suas sna haibhneacha agus...'

Chuir sé stop leis féin, agus focail níos deise á lorg aige, ach thuig an cailín céard a bhí i gceist aige agus chríochnaigh sí an abairt dó. 'Agus ionsaí a dhéanamh ar bhailte agus ar thithe cónaithe.'

'Sin í ceird an fhoghlaí mara,' a dúirt sé, le croitheadh dá shlinneáin.

'An gceapann tú go mbeidh do chuid fear in ann teacht ar bord i nganfhios!' arsa Benjamin go hamhrasach. 'Fiú má bhíonn an criú ina gcodladh, beidh garda faire ar dualgas ag an bhFéasóg Dhubh. Agus beidh an píolóta ar an stiúir.'

'Tabharfaidh mise aire don phíolóta agus don fhear faire.'

'Tú féin amháin?'

Mar fhreagra air sin bhain an marquis snapadh as a mhéara, chroch sé an choinneal agus shoilsigh an spás ar a chúl. Nocht dhá éadan sa dorchadas, aghaidh-eanna garbha. Bhí paiste ag duine acu ar a shúil chlé, agus drochghearradh ó smig go baithis ar an duine eile. Chúlaigh an bheirt ón dá fhoghlaí mara.

Chuir Parabas in aithne iad. 'Goll agus Buille Claímh.'

'Cé... cé na hainmneacha cearta atá orthu?'

'Aingeal atá ormsa,' a deir foghlaí na leathshúile de ghnúsacht. Thosaigh siad ag gáire, gáire magúil a chuir faitíos ar na hógánaigh.

'Agus an mairrrnéalach eile....' a scairt an phearóid.

'Focal eile asatsa agus casfaidh mé do mhuineál ort,' a dúirt Buille Claímh faoina fhiacla, agus méar á síneadh go bagrach ar an éan aige.

Shín Parabas an phearóid chuig Louise Bheag. 'Coinnígí in éindí libh é, agus ná corraígí amach as an bpoll.'

Duine i ndiaidh a chéile, dhreap na foghlaithe mara na céimeanna go dtí an haiste. Go cúramach, ionas nach ndéanfadh sé torann ar bith, d'ardaigh Goll an chomhla go mall, aireach. Shéid puth aeir úir isteach agus cuireadh ina luí lasair na coinnle a bhí i láimh Bhenjamin. Bhreathnaigh an foghlaí mara amach. Ón haiste bhí amharc amach aige ar an deic thosaigh, idir an bád iomartha crochta os a gcionn agus cloigín na loinge. Bhí an ghealach ar bharr an chrainn mhóir, agus thug sí solas lag uaithi ar na seolta agus ar an bhfarraige. Ba chosúil solas na gealaí ar na tonnta le réalta a phléasc ina mílte drithle.

'Tá an fear faire ina sheasamh in aghaidh an chrainn tosaigh,' a dúirt Goll de chogar. 'Tá a dhroim aige linn.'

'An bhfeiceann tú an píolóta?'

'Ní fheiceann. Tá an bád iomartha eadrainn. Ach ní fheiceann seisean muidne ach an oiread.'

D'oscail Goll amach an haiste agus d'éirigh an triúr foghlaí mara in airde ar an droichead. D'fhág Parabas an fear faire faoi Gholl, agus d'imigh sé féin agus Buille Claímh go dtí an deic dheiridh, an t-ardán ar chúl na loinge. Bhí an roth stiúrach ceangailte le ruóg ag an bpíolóta, agus é suite ar bhinse agus píosa tobac á chogaint aige.

'Tá seastán an chompáis sa bhealach,' a dúirt Parabas os íseal, 'agus ní fheicfidh an píolóta muid go mbeimid sa mhullach air.' Thug sé súil siar thar a ghualainn agus d'aithin sé cruth gorm Ghoill ag sleamhnú taobh thiar den fhear faire. 'Fágaigí seo!' a d'ordaigh sé.

D'ionsaigh na foghlaithe mara in éineacht. Nuair a chonaic an píolóta dhá dhiabhal dhubha ag éirí roimhe san oíche is beag nár shlog sé a phluga tobac. Bhain Buille Claímh an mothú as le stoc a phiostail, fad is a bhí Goll ag tachtadh an fhir faire lena lámha móra láidre. Thóg an marquis cóta mór an píolóta den deic, agus sheas sé ina áit ar chúl na deice deiridh. Rug sé greim ar an lampa, agus luasc sé é anonn is anall cúpla uair. Lasadh dhá sholas, á fhreagairt.

'Sin iad an dream s'againne,' a dúirt sé.

Sa pholl, shéid Benjamin ar an splanc lena choinneáil lasta. Ach bhí an lasair ag preabarnach, an t-orlach caite agus an solas múchta.

'Tá sé chomh dorrrcha le bundún an diabhail,' a scairt Dún-do-Ghob go clamhsánach. Chroith sé na sciatháin. Bhí Louise Bheag ag iarraidh é a choinneáil. Rómhall! D'eitil an phearóid i dtreo an haiste. 'Lámh láidirrr in uachtarrr!' a bhéic sé chomh luath is a bhain sé an deic amach.

'Dúiseoidh an t-éan sin an criú,' a dúirt an cailín. 'Caithfear breith air agus a ghob a dhúnadh ar a chéile.'

'Fan anseo,' a dúirt a deartháir. 'Ní thiocfaidh tú go deo air thuas sa rigín.'

Shleamhnaigh sí amach as an haiste. 'Ba mhaith liom a fheiceáil céard atá ar bun acu ar deic.'

Ní raibh siad ach tagtha as an bpoll, nuair a chonaic Louise Bheag agus Benjamin trí chruth ag an ráille.

'Muineál lag in íochtarrr!' a scairt an phearóid nuair a chonaic sé an bheirt ar an droichead. Ansin d'eitil sé siar chuig an deic dheiridh agus shuigh in airde ar chás na gcearc.

'Sin Dún-do-Ghob,' a deir Buille Claímh. 'Lig na malraigh amach é.'

Cromtha os cionn na slaite boird, d'fhan an marquis leis an dá phionais a bhí lán lena chuid fear. Seolta stríoctha, cromtha os cionn na maidí, ba chosúil an bhuíon bhordála le dhá mhíol mór sínte le taobh *Ordóg na Feirge*. Chaith Parabas dréimire súgáin chucu. Agus marc-chlaíomh nó muirchlaíomh idir na fiacla acu, dhreap na foghlaithe mara in airde ar leataobh an bhruigintín.

Ar an deic dheiridh, bhí Benjamin agus Louise Bheag ag rith ó bhord na heangaí go bord na sceathraí*, a lámha in airde acu ag iarraidh breith ar an bpearóid. Chinn orthu. D'eitil Dún-do-Ghob ó chás na gcearc go dtí an roth stiúrach, ón mbinse faire go seastán an chompáis, ó shimléar na cistine go dtí an crann mór. Ansin shuigh sé ar chábla, chuimil a ghob den rópa mar a bheadh sé ag iarraidh faobhar a chur air, agus scairt amach: 'Ní thiocfaidh sibh orm, dar crrraiceann an diabhail! Níor saolaíodh fós an fearrr a bhéarrrfadh ormsa!'

'Caithfear dreapadh sna scriútaí lena thabhairt anuas.'

'Ná bí ag brath ormsa,' a d'fhreagair Benjamin. 'Fágaimis ann é. Tiocfaidh sé ar ais ar ghualainn a mháistir.'

'Lasadh solas go tobann ar an deic dheiridh.

* Bord na heangaí: ar dheis; bord na sceathraí: ar clé.

Labhair guth toll íseal: 'Dar trí chapall an diabhail, cé atá ag rith gan stop os mo chionn? Hóra, a phíolóta, an bhfuil tú ag damhsa ar an deic? Nó an bhfuil an cladhaire ag foghlaim le siúl?'

Bhí an Fhéasóg Dhubh ina shuí! Go tobann, chonaic sé scáil gar don tslat bhoird. Sciob sé an piostal as a chrios agus chaith piléar ina threo. Chuaigh an piléar ar fóraoil san fharraige.

'Gach uile dhuine beo ar deic!' a bhéic sé. 'Tá an long faoi ionsaí!'

Mhúscail an criú ar an bpointe, agus dhreap siad aníos as gach cúinne den long — as an deic íochtair, as an gcaiseal tosaigh, as an gcistin. Ag an am céanna, bhí fir Pharabas tagtha ar bord na loinge. Shoilsigh na hairm faoi sholas na gealaí. D'éirigh glórtha na bhfear ó bhall go posta, gártha catha ag gríosadh na bhfear. Líonadh an oíche le torann uafásach, claimhte ag bualadh faoi chéile, piostail á scaoileadh. Ligeadh fead as lannta cruach agus rópaí á ngearradh sa chruachoimhlint, agus cuireadh frídeoirí ag eitilt thar an deic, mar a bheadh éin chré-umha ag bualadh faoi chloigne.

Thiar ar an deic dheiridh, bhí Benjamin agus Louise Bheag sáinnithe i gcúl na loinge ag scáil mhór mhillteach na Féasóige Duibhe. 'Níl a fhios agam cé atá ár n-ionsaí,' a deir an Fhéasóg Dhubh de ghnúsacht, 'ach ós rud é gur ligeadh sibhse amach as an bpoll chaithfeadh sé gur sibh féin is cúis leis an ionsaí seo.'

Shín sé amach a lámh i dtreo na beirte. Sheachain an cailín a ghreim, ar éigean, ach rug a mhéara ar bhóna an ghasúir, á chrochadh den deic, agus á

thabhairt leis. D'fháisc an Fhéasóg Dhubh Benjamin faoina ascaill, agus rinne ar an gcrann mór, ag dreapadh in airde go poll an chladhaire, an chrannóg fhaire ar bharr an chrainn.

Rinne Louise Bheag a bealach suas leis an tslat bhoird i dtreo an mharquis, a bhí ag stiúradh na troda, agus d'fhógair sí de ghuth caointeach: 'Tá an Fhéasóg Dhubh thuas sna seolta le mo dheartháir. Maróidh sé é má leanann sibh den ionsaí.'

Chroch Roger de Parabas a shúile i dtreo na gealaí, agus chonaic dhá chruth sna seolta, cosúil le dhá chuileog i nead damháin alla. Rinne sé comhartha le triúr dá chuid fear, d'fhan meandar, agus lig béic as: 'Stopaigí den troid! Tá sibh faoi bhéal na ngunnaí móra.'

Bhí gunna mór tugtha timpeall ar a rotha ag an triúr, agus béal an ghunna ar an slua. Sheas fir Pharabas siar d'aon ghluaiseacht amháin. Mar nach raibh criú na Féasóige Duibhe ag iarraidh a gcuid arm a leagan uathu, scaoil an gunna mór a urchar le torann an diabhail. D'imigh an piléar mór siar thar a gcloigne. De bhuille, thit na claimhte agus na piostail ar an deic, agus crochadh lámha in airde. Chuir Parabas a dhá bhois lena bhéal agus bhéic i dtreo na seolta: Tá do chuid fear tar éis géilleadh, a Fhéasóig Dhuibh! Tar anuas as sin nó leagfaidh mé an crann le piléar gunna mhóir.'

Bhí an Fheasóg Dhubh agus Benjamin i bpoll an chladhaire. 'Éisteodh tusa liomsa, a bhucainéir ghránna,' a scairt an Fhéasóg Dhubh. 'Fágadh tú féin agus do chuid ruifíneach an long seo nó caithfidh mé an gasúr i bhfarraige, agus ní bhfaighidh deoraí an t-órchiste!'

Bhuail faitíos Louise Bheag. 'Caithfear Benjamin a shábháil!'

'Ná ceap go dtabharfaidh mé aird ar an mbithiúnach sin,' a d'fhreagair Parabas. 'Dreapfaidh mé in airde agus troidfidh mé féin leis. Ná déan imní faoi do dheartháir, tá an Fhéasóg Dhubh rócheanúil ar an bpíosa de léarscáil sin lena ligean as a láimh.'

Rug an marquis greim ar rópa agus thosaigh ag dreapadh sna scriútaí.

'Is fút féin atá sé,' a bhéic an Fhéasóg Dhubh. 'Tuilleadh diabhail ag an ngasúr!' Nocht sé gualainn an bhuachalla. 'Feannfaidh mé an craiceann díot, ansin caithfidh mé thú i bhfarraige,' a dúirt sé leis. 'Ansin ní bheidh a fhios ag aon duine go mbeidh do chuidse den léarscáil agamsa.' Nocht sé a chlaíomh.

Ina sheasamh in airde sa spéir, bhí an oiread faitís ar Bhenjamin nár fhéad sé é féin a chosaint. 'Ná déan!' a bhéic sé, nuair a mhothaigh sé an lann fhuar ar a chraiceann.

Caibidil VIII

B'ansin a thuirling toirt cleití ar an bhfoghlaí mara. Chuir Dún-do-Ghob a chrobh i ngreim ina fhéasóg, thóg sé a shrón ina ghob, agus bhain scealpóg mhór aisti amhail is go raibh sé ag iarraidh í a tharraingt de. Scaoil an fear le Benjamin agus chuaigh ag troid leis an bpearóid. Sa chorraíl, bhuail sé faoin mbuachaill, agus baineadh an bheirt dá gcothrom. Lig an Fhéasóg Dhubh béic fheirge as, d'imigh sé thar an tslat agus thit i bhfarraige agus an phearóid ag éirí san aer. Shleamhnaigh Benjamin anuas an rópa. Greamaíodh a chosa sa rigín agus crochadh bunoscionn é, a lámha ag luascadh san aer agus faitíos air go ndéanfaí scraith de, soicind ar bith, anuas ar an deic. Tháinig meadhrán ina cheann agus tháinig pianta ina chosa. D'eitil Dún-do-Ghob ina thimpeall ag scairteadh amach:

'Mairrrnéalach i bhfarrrraige! Mairrrnéalach i bhfarrraige!'

'Ca-ca-cabhair…' a deir an buachaill go stadach, agus é ag iarraidh glaoch ar chúnamh agus análú ag an am céanna.

Rug lámh air, agus chuir in airde é. Stop an domhan ag luascadh agus d'éirigh leis an mbuachaill a anáil a tharraingt arís.

Bhí an stad fós ina chuid cainte. 'Go-go-go raibh maith agat.'

'Tar anuas, a scoraigh. Caithfear múineadh duit fós cén chaoi le heitilt sna seolta.'

Agus é fós ar crith, dhreap Benjamin go mall anuas as an rigín fad is a bhí Parabas ag sleamhnú anuas scriútaí an chrainn mhóir.

'Níor bhain aon ghortú de mo dheartháir?' a d'fhiafraigh Louise Bheag den fhoghlaí mara chomh luath is a thuirling sé ar an deic.

'Ná bíodh aon imní ort. Is geall le frog greamaithe ar dhréimire é, ach níl tada air.'

Idir an dá linn, le dhá thua, ghearr Goll agus Buille Claímh anuas na crainn seoil ar an dá phionais.

D'ordaigh Parabas d'fhoghlaithe mara na Féasóige Duibhe dreapadh síos sa dá bhád.

'Gan seol, cuirfear amú ar an bhfarraige muid,' a chaoin Ard Tanaí.

'Fágfaimid na maidí rámha agaibh,' a dúirt an Marquis. 'Nílimid i bhfad ón gcósta. Leag mé na crainn seoil ionas nach dtiocfadh sibh inár ndiaidh ag iarraidh an long a thógáil ar ais uainn. Tá *Ordóg*

na Feirge anois agamsa, Roger de Parabas, agus má fheicim arís sibh cuirfidh mé slabhraí ar bhur gcosa agus caithfidh mé i bhfarraige sibh.'

Tharraing an dá bhád amach ón long. Chomh ciúin leis an mbás, d'fhan fir na Féasóige Duibhe ag breathnú ar an mbruigintín ag seoladh uathu san oíche, mar a bheadh scáil thaibhseach ann.

Go tobann, ar cheann de na pionaisí, caitheadh

dhá láimh aníos as na tonnta agus fáisceadh greim ar an tslat bhoird. Nocht an Fhéasóg Dhubh. Chroch sé é féin aníos as an bhfarraige, dhreap isteach sa bhád agus chroith sé é féin mar a dhéanfadh madra fliuch. Ansin d'éirigh sé ar a chosa, thomhais sé a dhorn leis an long, agus chuir béic as: 'Tiocfaidh mé ort arís, a Pharabas! Níl a dheireadh cloiste agat fós! Is agamsa a bheidh órchiste an Chaptaein Roc, agamsa amháin! Maidir leis an mbeirt mhalrach, beathóidh siad na siorcanna!'

* * *

Leath solas na maidine ar spéir a bhí ar dhath an iarainn, agus lasadh an fharraige amhail is gur aníos as tóin na mara a d'éirigh an ghrian.

'Cheapfá go raibh muid ag seoladh ar thine,' a dúirt Benjamin.

Níor chodail sé féin ná a dheirfiúr néal i gcaith-eamh na hoíche. Bhí siad ina seasamh i dtosach na loinge, os cionn an chrainn spreoide agus na deilbhe tosaigh. Ordóg mhór mhillteach ag gobadh aníos as feithid ollmhór adhmaid a bhí sa dealbh.

'Sin é an cosán a thabharfaidh go dtí an ghrian muid, ag deireadh an domhain,' a d'fhreagair Louise Bheag.

'Faoi láthair, tá an ghrian ar ár gcúl. Níl sí ina suí ach ar éigean.'

'Tá sí ag breith orainn. Tá áthas orm go bhfuil an Fhrainc fágtha inár ndiaidh againn. Airím níos mó saoirse ar an bhfarraige.'

'Is fíor duit é,' a dúirt Benjamin. 'Nuair a shínim amach mo dhá láimh, airím go bhfuil sciatháin orm agus go bhfuil mé ag eitilt os cionn na dtonnta.'

'Caithfimid a thaispeáint gur muid clann Dheaide. Caithfimid foghlaim cén chaoi le claíomh a láimhseáil…'

'Léarscáil a léamh…'

'Gunna mór a luchtú…'

'Compás agus airnéis loinge a úsáid…'

'Foireann bhordála a stiúradh…'

'Gach seol a ainmniú…'

'Beidh tusa i do mhaor agam!' a deir Louise Bheag.

'Ní bheidh. Beidh mé i mo chaptaen ort!'

'Seafóid,' a labhair guth géar fuar. 'Is mise an máistirrr anseo! Chun na hoibrrre a phaca diabhal! In airrrde ar an seol mórrr leat! Gabhaigí ag sciúrrradh na deice! Go beo, anois!'

'Fan anois.' Chonaic Benjamin an phearóid thuas sna seolta. 'Cuirfidh mise deireadh le do chuid magaidh!' Thosaigh sé ag gáire go tréan.

'Céard atá ort?' a d'fhiafraigh a dheirfiúr de.

'Déan aithris orm, feicim Buille Claímh ag teacht.' Thosaigh an cailín ag gáire freisin.

Chuir an fear strainc air féin. 'An iad na gathanna gréine atá ag cur dinglise ionaibh!'

'D'inis Dún-do-Ghob dúinn cén t-ainm ceart atá ort. Ha! Ha! Ha! Níor airigh mé tada chomh greann-mhar leis riamh.'

Lig Buille Claímh búir fheirge as. Chroch sé a cheann, agus chonaic sé an phearóid sna seolta. 'Fan go mbéarfaidh mise ort,' a bhéic sé, agus é ag breith ar runga an dréimire súgáin a bhí crochta den seol mór. 'Tabharfaidh mise m'ainm duit!'

'Ní dúirrrt mise tada,' a bhéic an phearóid nuair

a chonaic sé ag dreapadh in airde é. 'Darrr m'fhocal, ní dúirrrt!' D'imigh sé de rith amach ar an tslat seoil agus é a rá os ard: 'Níorrr inis mise tada dóibh! Níorrr inis mé dóibh gur tú Pilibín an Chleite!'

Múchadh na béiceanna i bplabadh na seolta. D'éirigh an ghaoth. Chuaigh *Ordóg na Feirge* ag doirteadh roimpi le fána amach i dtreo an aigéin, i dtreo domhain nua a bhí amach rompu.

'An gceapann tú gur mar a chéile Parabas agus an

Fhéasóg Dhubh?' a d'fhiafraigh Benjamin. 'Nach gceapann tú go bhfuil sé féin ar thóir órchiste Dheaide chomh maith?'

'Níl a fhios agam,' a d'fhreagair Louis Bheag. 'Is gearr go bhfeicfimid. Tá an saol mór amach romhainn.'